【老中醫傳秘方】

淺談中醫之望診

收錄《藥性賦》、《本草綱目》的心得筆記。
二十二篇文章結合臨床驗證，分享中醫養生保健秘法。
教你用菊花、鹿筋、天麻、川芎、白芷等入饌，自製茶飲及藥膳湯水，治療情志抑鬱、癡肥水腫、雙眼乾澀、頸椎勞損、尿頻失眠等都市病。

符國本
編著

養生長壽秘方集，幼兒、青少年、中年、老年必讀！

肝氣鬱結脾胃不好百病生！教你善用中草藥，對症調養。

淺談中醫之望診

祝賀 符國本醫師新書

淺談中醫之望診

深論華夏之醫術

己亥年秋 文健於香港

前言

中國傳統文化有悠久的歷史，源遠流長而博大精深，中醫藥學是一個偉大的寶庫，是中國傳統文化之精華，所以，當以不遺餘力的傳承及發揚光大！

本人懷着對學習中國優秀傳統文化的熱忱，及數十年來對中醫藥專業精益求精的追求，乃常於夜間挑燈重溫《藥性賦》、《本草綱目》等中醫藥典籍，每次重讀都有新的啟迪，而寫下心得筆記，得益甚多，此也可視爲中醫持續進修的一個良好學習過程。

這本中醫藥專業性小書，共匯集本人編寫的 21 篇文字，闡述了許多日常應用的有關中醫藥，並結合過去多年的臨症所見，加以總結，將中醫理論與實踐經驗求融會貫通，而作《淺談中醫之望診》等篇，當中尚有關於中醫養生保健之文字，冀望豐富書中內容及增加色彩！

在《逍遙散的應用》篇中，介紹過去診治一位患「梅核氣」的病者（註：梅核氣爲

重溫《藥性賦》

夜間在燈下細讀《藥性賦》，朗朗上口，這是過千年前人的寶貴相傳，是中醫藥之瑰寶，如能銘記，受益良多，現將溫故知新之心得，記錄如下：

「大地生草本，性能各不同，前人相傳授，盡在概括中。寒涼能清熱，

重溫《藥性賦》筆記

中醫病名，此乃情志失調，憂思過慮，引發肝鬱脾虛，氣滯痰凝停聚於咽喉所致。）留下頗深印象，故述及與諸位分享之。凡此或許會給某些讀者帶來興趣，藉此互相交流，共同提高。

今天科技不斷創新一日千里，中醫中藥應與時俱進，在向着國際化現代化的進程中，中醫藥學應爭取得到更大的發展！

符國本於香港

2019 年 10 月 20 日

1. 淺談中醫之望診

望診是「四診」中的第一步，是觀察病者的神、色、形、態，古醫書：「有諸內必形于外」，認為人體內部的病變會反映到身體的表面上，導致神色或形態的改變。又謂「望而知為之神」，「失神者死，得神者生」。

何為得神：神志清楚，語言清晰，目光明亮，表情豐富，反應靈敏，呼吸平穩，肌肉結實，活動自如；

何為失神：神志不清，目光黯淡，面色晦暗，喃喃譫語，循衣摸床（指心神迷亂者，手捻衣被，摸着床邊或隔空取物，此是臨終之象），瞳仁反應遲鈍，大限將至矣。

望診注重觀望眼神、面色、舉止：體健者雙眼炯炯有神，毛髮烏黑濃密，腰背堅挺，聲音響亮，步態穩健；體弱者雙目茫然黯淡，毛髮稀白脫落，面容憔悴蒼白，步態不穩。藉此判斷正氣之盛衰，所以有經驗高明的中醫師衹要通過雙眼一望，便可初步知

道病者的身體狀況及精神狀態。

觀察病人的形態，肥人多痰濕，瘦人多內熱；口面歪斜，半身肢體障礙多為中風。

舌診是望診的重要組成，可分為舌質、舌苔兩部份：

1、舌質淡紅，苔薄白而潤為健康者；
2、舌質淡白比正常稍大，苔薄白，屬氣虛；
3、舌質淡白比正常微萎縮，苔薄稍乾，屬血虛；
4、舌質淡白胖大有齒痕，苔厚白，為陽虛濕氣內積；
5、舌質淡白，答白粘滑，為脾胃虛弱；
6、舌尖紅，苔白，為心火盛；
7、舌質紅，起刺，苔厚黃乾，里熱盛極；
8、舌質紅，瘦，苔少有裂紋，屬陰虛；
9、舌深紅，萎縮，乾燥：傷陰，缺水；
10、舌紅乾燥，苔黑者，屬熱熾傷津、兇險之症！

必須掌握舌診之要點：

一、舌紅、苔薄白滑、證在表；
二、舌紅至深紅，苔黃厚濁：發熱、證在裡；
三、舌淡，舌稍肥大，苔薄白滑：氣虛（陽

虛）；

四、舌淡，舌稍瘦小，苔薄白：血虛；

五、舌淡，舌肥大舌邊有印齒，多液，苔滑：脾胃運化失調，水濕內停；

六、舌紅，乾，少苔有裂紋：陰虛。

一望而知是麻疹：

麻疹是傳染病，過去多見小兒，煩燥不安，咳，流鼻水伴發熱，雙眼濕濕，眼紅，口腔出白點，由面部開始擴散至全身散在出紅疹，有經驗者一望便知。

晚期肝癌望診可見：

病者消瘦、虛弱疲乏，痛苦病容，眼白變黃，皮膚色黃（黃疸），腹脹（腹水），下肢水腫等。

有病者問：「可否看（望）我有什麼病？」不是所有的病都可以一望而知，而是需要經過醫師詳細「四診」及結合有關數據綜合評估，始能作正確的辨證施治。

提高中醫望診之技巧及水準，在於不斷的學習，平日留意無數的觀察，更重要的是在長年的工作中加以實踐運用及逐步的積累經驗。

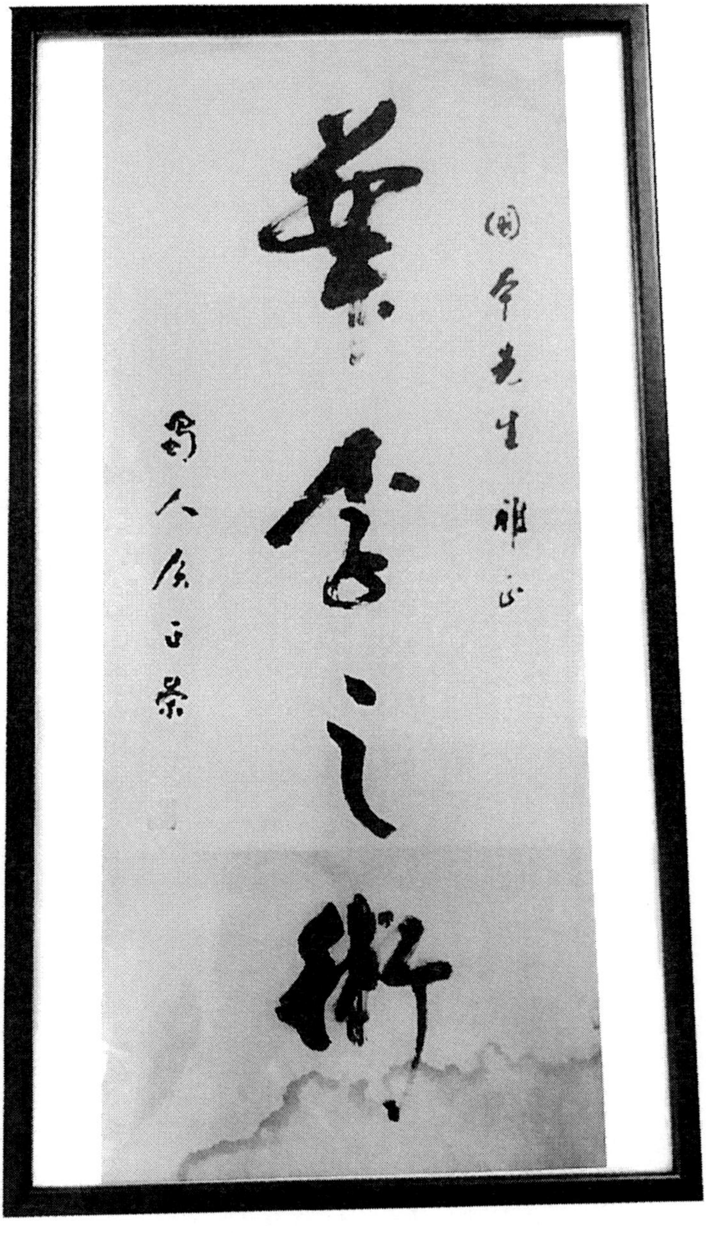

2. 目得血而能視：眼部主要穴位按摩

現代人離不開手機及電腦，長時間的注視，很容易引起雙眼乾澀不適及視力疲勞。而每個人能有一雙美麗明亮的眼睛至為寶貴。

中醫診症也是通過望診來觀察病者的神、色、形、態，特別是注重眼神，體健者雙眼明亮，炯炯有神；體衰者雙目茫然，黯淡無光，藉以判斷正氣之盛衰。

《黃帝內經》云：「目得血而能視。」意思是指人的血氣正常的運行至雙目就能有好的視力。在此介紹眼部主要穴位的輕柔按摩，輕柔按摩眼部主要的穴位可消除眼角皺紋，黑眼圈，眼袋，有助眼部減壓及促進眼部血液循環。輕柔緩慢的按摩眼部的主要穴位，可增進眼內的氣血運行，不但潤膚美容，更能有助提高視力，使雙眼美麗而明亮有神！

附眼部主要的穴位圖片作參考：

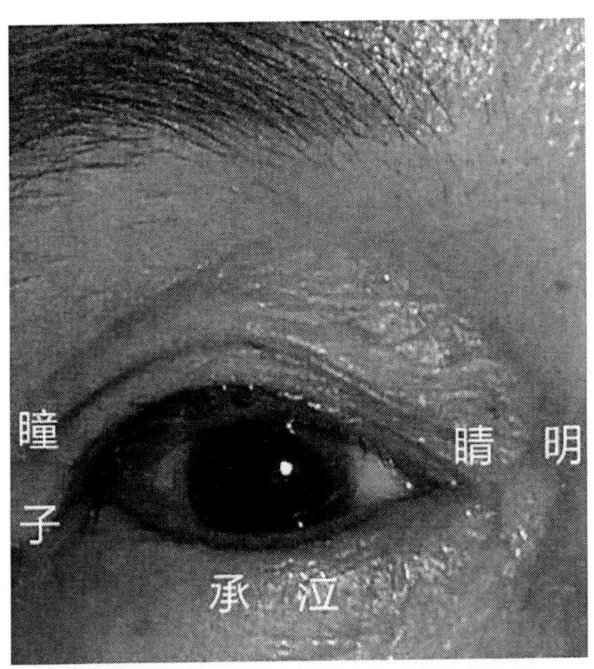

按摩眼部穴位，有助消除眼睛疲勞。

「睛明」：在內眸凹陷處，是眼內氣血的所在穴位，「目得血而能視」，故稱睛明，對近視，眼睛諸病有效，有助提高視力，還可舒緩長期看電腦引致的頸肩肌肉痛；

「瞳子」：在外眸凹陷處，輕柔按摩可消除眼角皺紋，對青少年近視，口眼歪斜，頭痛有效；

「承泣」：雙眼平視眼球正下方的位置，哭泣時承接淚水之意。此穴可消除眼睛疲勞，對消除黑眼圈、眼袋尤其有效；

按摩的方法：端坐或平臥，閉上雙眼，遠離繁喧而進入寧靜的心境，使身心得到調適。以雙手的尾指，按順序輕柔按摩以上所示雙眼部的睛明、瞳子、承泣穴位十次，宜緩慢輕柔，如此輪翻數次，會有良好效果。

3. 桑樹全棵都是藥

去年參觀香港醫學博物館中草藥園見一棵高大的桑樹，桑樹全棵都是藥：

一、桑葉：

晚秋初冬經霜後的爲冬桑，效果最好。性味甘、苦、寒。

功效：善清疏肺經及在表風熱，常與菊花、連翹、薄荷等藥配伍如桑菊飲，治風溫發熱咳嗽。

又清肝明目，用于目赤風眼下淚。用量：6 至 10 克。

《本草綱目》：「治勞熱咳嗽，明目長髮。」

桑葉香枕天然助睡眠：用冬桑葉陰乾制成枕頭，可治頭暈目糊、安神入眠。

二、桑枝：

桑樹的嫩枝，性味苦平。

功效：清熱、祛風、通絡、通利關節、行水氣。治風濕痹痛，四肢拘攣，水腫。亦可煎水外洗。用量 6 至 15 克。

桑 葉
疏 風 清 熱 ， 清 肝 明 目 ，
霜 降 後 的 桑 葉 稱 冬 桑 葉 ，
效 果 最 好 。

《本草綱目》：「利關節、除風寒、濕痺諸痛。」

三、桑椹：

桑樹成熟的果實，爲紫色橢圓形。味甘寒。

功效：滋陰補血，治陰虛津少，口乾舌燥肝陰不足，陽亢眩暈，失眠等症。

本品有滋潤腸燥作用，故亦可作潤腸通便藥。

新鮮桑椹生果店多有售，味甘甜，止渴生津，養陰益血。

《本草求真》：「除熱養陰、烏鬚黑髮。」

用量：6 至 10 克。

四、桑白皮：

指桑樹的根皮，剝去表層栓皮，曬乾用。性味甘寒，入肺經。

功效：

1、瀉肺平喘，用于肺熱咳喘，痰多水腫，腳氣等症。

2、行水消腫，用于小便不利者，有利尿退

腫的功效。

《本草綱目》：「瀉肺 長利小水。」

用量：6至15克。

五、桑寄生：

爲桑寄生科槲樹、桑樹及柿樹上寄生的帶葉枝莖。性味：苦、平。入肝、腎經。

功效：補肝腎、除風濕、强筋骨、益血安胎。

《日華諸家本草》：「助筋骨，益血脈。」

用量：10至30克。

而獨活桑寄生湯壯腰健腎，祛風止痛，以過往病例所見，對風寒濕痹諸痛，由於方中有牛膝引藥下行，故對腰部疼痛，肌肉痛，下肢關節痛，坐骨神經痛等效果較顯著。

桑寄生蓮子鷄蛋茶祛風養血，強筋安胎，坊間常有人飲用。

蓮子補脾，養心益腎。
百合滋陰，清心潤肺。
是老幼皆宜煲湯佳品。

4. 養生之要訣

現代人都注重養生，《黃帝內經・素問》：「恬淡虛無，真氣從之，精神內守，病安從來？」此是中醫學對養生之道的重要論述及指引。不少人大談健康長壽，衆説紛紜中其實上面的十六個字才是養生之道的要訣。

「恬淡虛無，……」是指人的心境寧靜，一切坦然，這樣，體內的精、氣、神就會順暢運行；「精神內守，……」是指今天處於繽紛繁華的社會中，人不受外面物質金錢美色所誘惑，內守自己的本份，因之，心安而不懼，心安而神閑，正是「正氣內存，邪不可幹」，有正常穩定的精神狀態，在適應自然環境中，避開了風寒暑濕燥火，便會袪除疾病。

一個人的健康不但是在生理上沒有病，還要有正常的心理（情緒），中醫將人的情緒列爲「七情」：「喜、怒、憂、思、悲、恐、驚」。

鹿筋

補腎陽，益腎精，

壯筋骨

「肝主情志」、「肝喜條達」，是指肝主人的情緒，人的情緒需要得到疏泄，心情要舒暢；「怒則傷肝」，不要暴燥發脾氣，特別上年紀者發怒易致肝陽上亢，血壓驟升而有中風之險！「肝忌鬱結」，今港人工作緊張，學生讀書壓力大，以致內心焦慮鬱結，不開心，容易出現情緒不安、心悸、怔忡、失眠等症，此乃思慮過度，情志失調所致，宜疏肝解鬱，多參加各種社會活動，親近大自然，使身心得以調節，情緒得以舒解，而促進健康。

平時要「飲食有節、起居有常」，要有良好的心態，「喜樂的心乃是良藥」，心態祥和安靜，就會有平安喜樂，以促進身心健康！古今許多事例看到，書法家、畫家、歷代名老中醫大多健康高壽，唐朝名醫孫思邈活了一百零一歲（有的考證孫思邈活了一百四十一歲。）人安而能靜，靜而能定，因而身心安泰，益壽延年。

5. 天麻川芎白芷魚頭湯

天麻、川芎、白芷魚頭湯是傳統的民間食療湯水，有特殊的香醇美味，對頭暈、頭痛等症有效，因之比較廣受坊間所歡迎。

天麻、川芎、白芷各 10 克，大魚頭一個（開邊可煎成香色）加生姜三片，水及食鹽適量，燉一個半小時即成乳白色芬香美味的食用湯水。

天麻：

用其根莖，色淡黃，有皺紋，橢圓形，姜汁潤切片用。性味甘、微溫。入肝經。

功效：息風鎮痙、止頭暈痛。

1、用痙攣証，常與鈎 藤同用；

2、用于肢體麻木，手足不遂；

3、用于肝虛頭痛及眩暈，配養陰平肝藥治肝陽上亢。

《本草正義》：「天麻之質，厚重堅實，故平靜鎮定，以息內風。」

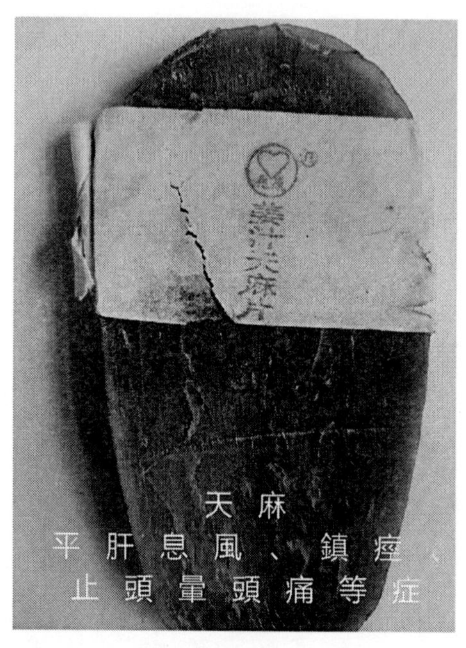

天麻
平肝息風、鎮痙、
止頭暈頭痛等症

川芎：

草本植物川芎之根莖，性味辛溫，入肝、膽、心包三經。

功效：

1、活血行氣，辛散溫通，用月經不調等，爲婦科要藥；

2、祛風止痛，辛溫升散，善于祛風止痛，用于頭痛、風濕痛等症，如《和劑局方》川芎茶調散，同白芷、羌活、防風、荊芥、薄荷、甘草爲散，治感冒風寒，偏

正頭痛之証。

《藥品化義》：「……氣香上行，升清陽之氣，其味辛溫，横行利竅，使血流氣行，爲血中之氣藥。」

白芷：

是多年生草本植物白芷的根，質堅硬，有特殊香味，性味辛溫，入肺、胃經。

功效：發表祛風，消腫止痛。

芳香通竅，用于感冒風寒，頭痛、牙痛等症，以其辛行溫通上達，故善治頭面諸病。

《本草綱目》：「治鼻淵，齒痛，眉棱骨痛。」

由於不少人工作緊張，休息不足，經常會出現頭痛，頭暈等症狀，本品之食療湯水有祛風補腦，行血氣之功，而減少頭暈、頭痛的症狀。

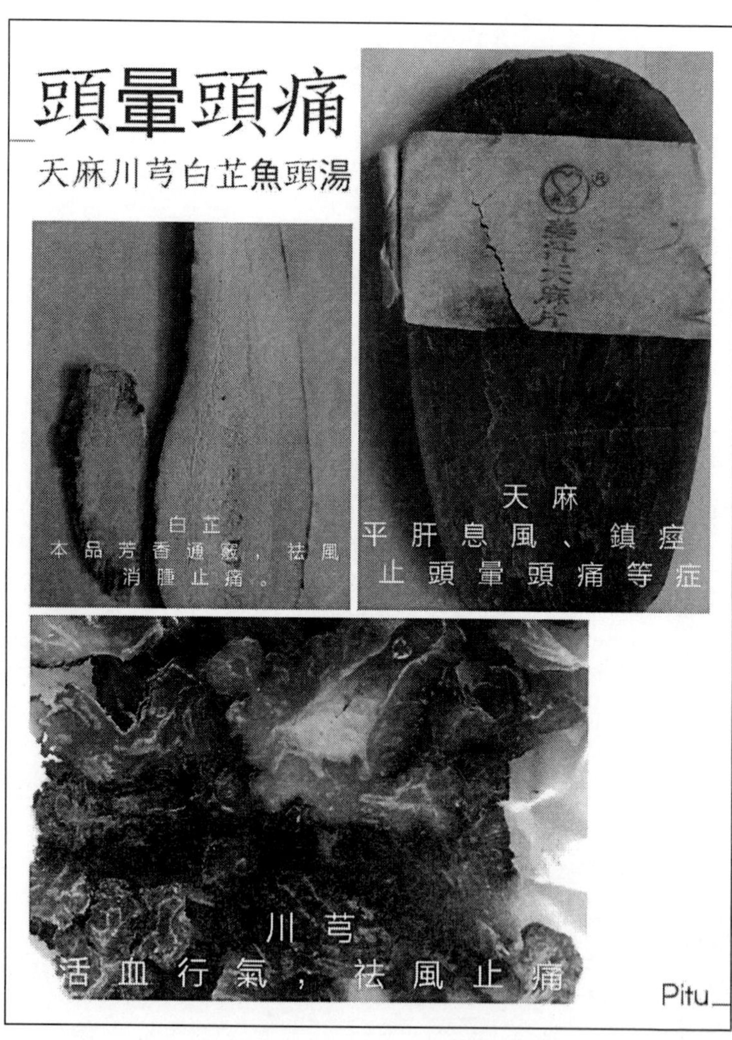
頭暈頭痛
天麻川芎白芷魚頭湯
白芷
本品芳香通竅，祛風
消腫止痛。
天麻
平肝息風、鎮痙
止頭暈頭痛等症
川芎
活血行氣，祛風止痛
Pitu

6. 瘦身美容茶

由於現代各類美食豐富，好多人忍不住口，往往進食過多而引致肥胖，肥胖容易引起各種疾病，如三高（高血壓、高血脂、高血糖）所以，為了健康應當減肥瘦身。這裡介紹一款瘦身美容茶，簡單而安全有效，組成如下：

雲苓、薏仁、全粟米（連鬚）、荷葉、山楂

註解：

雲苓：

爲雲南出産的茯苓，性甘平，入心、肺、脾、腎經。

本品甘淡而利水滲濕，如五苓散，治水濕停滯的小便不利；又健脾補中，寧心安神，有健脾利濕止瀉的功效，如參苓白術散。

用量：10 至 15 克。

全粟米（連鬚）煲水飲
有很強的利尿作用，
可消脂瘦身降三高

粟米鬚
利尿瘦身降三高

薏仁：

性味甘淡，入脾、腎、肺經。功效于利水滲濕，清熱排膿。

本品味甘益脾，色白入肺，清熱排膿，消除面部暗瘡疹粒，有皮膚美容之效。

《本草綱目》：「健脾益胃，補肺清熱。」

用量：15 至 30 克

粟米：

補益脾胃，含植物 維刺激腸蠕動，有利排便；粟米心及粟米鬚利尿，降三高效果好。并促進眼睛健康，延緩衰老。

用一條粟米（連鬚）

荷葉：

清熱解暑，荷葉并有吸脂減肥作用。

用半塊至一塊。

山楂：

是山楂的成熟果實，性味酸、甘、微溫。入脾、胃、肝經。

應用：

荷葉有消暑消脂
瘦身美容之功效

1、消食積，本品補助脾胃，促進消化，爲消肉食積滯之要藥。

2、散瘀滯，本品善入血分，可化瘀開鬱行結。獨聖散：配活血止痛藥如當歸、川芎、延胡索、益母草等應用。

《衷中參西錄》：山楂味酸微甘，性平，皮赤肉紅黃，改善入血分為化瘀血之要藥！

用量：6至10克。

以上用二碗水煎至一碗，當茶飲。

這茶主要係健脾去濕，利尿，消脂並可去除面部疹粒斑點，使皮膚嫩白，容光煥發。

瘦身美容茶

粟米鬚荷葉薏仁

荷葉有消暑消脂
瘦身美容之功效

粟米鬚
利尿瘦身降三高

薏米
健脾去濕，清熱利尿

Pitu

7. 清肝明目茶

現代人手上不離手機及操作電腦，工作繁忙緊張，容易引致雙眼乾澀，視力疲勞，中醫《黃帝內經》有：「肝開竅於目」，所以，保肝益肝，使肝經正常運行，「目得血而能視」至爲重要。

這裡介紹一款清肝明目茶飲，組成如下：决明子、杞子、菊花，註譯：

决明子：

爲草本植物决明的成熟種子，暗褐色，堅硬。性味甘、苦、咸、微寒。入肝、膽經。

有清肝明目的功效'，是眼科常用藥，用于肝膽鬱熱的目赤澀痛，羞明有淚，多與菊花同用。

《本草求真》：「除風散熱，治目之要藥。」

杞子：

爲茄科枸杞的成熟果實，果皮紅色至暗紅色，產寧夏、甘肅爲佳。性味甘、平。入肝、腎經。

有滋補肝腎，益精明目之功效。

1、滋補肝腎，是平肝補腎之藥，治虛勞精虧，如《証治准繩》枸杞丸，與黃精同用，可補虛益精。

2、益精明目，常用于肝腎不足之頭暈目疾，如《龍木論》治肝虛下淚用枸杞一味；杞菊地黃丸，治肝腎不足，頭暈目暗等症。

《本草圖解》：「補肝腎益精，目昏，無不癒矣。」

菊花：

有白菊花、黃菊花、野菊花等供藥用。

性味甘、苦，微寒。入肺、肝經。

有疏風清熱，養肝明目、解瘡毒功效。

1、用于外感風熱，如桑菊飲，與桑葉、連翹、薄荷同用；

2、養肝明目，白菊花養肝明目功效較好，常與杞子、地黃配伍，如 菊地黃丸用于肝腎虛目暗。又，肝風內動，肝陽上亢而致頭暈、頭痛，用本品與石决明、生地、白芍、羚羊角等配伍，可收平肝息風之效。

菊花、決明子清肝明目，
適量泡茶飲，
可降血壓並提高視力。

蜂蜜

蜂蜜補虛潤肺，對乾咳、
秋燥敏感咳效果甚佳。

《本草求真》：「凡眼目失養……而病無不愈矣。」

決明子、杞子、白菊花各5克，以上沖泡焗飲，可有淡靜怡神，清肝明目，提高視力之功，對血壓高，雙眼糢糊的長者尤爲適宜。

秋燥止咳茶：

秋天氣候較乾燥，早晚溫差較大，帶有秋涼之意，中醫疾病外因有：風、寒、暑、濕、「燥」、火，「燥」是其一病因，有人咽喉氣管較為敏感者，易有咽喉乾涸、咳嗽等症狀，以下介紹秋燥止咳茶，用滾水沖泡或煲滾飲，即可緩解咽喉乾涸、咳嗽。此茶組成如下：

蘇葉 3 克剪碎

北杏 3 克研碎

陳皮 3 克、薄荷 3 克

飲時加蜂蜜少許。

註譯：

蘇葉：

性味辛、溫。

有開宣肺氣，發表散寒、通鼻塞止咳嗽的作用；并可解魚蟹毒。

《本草綱目》：「散風寒，消痰利肺。」

《本草正義》：「紫蘇芳香氣烈，上通鼻塞，清頭目，爲外感靈藥。」

北杏：

性味苦、溫。

有止咳定喘，潤腸通便之功效。

《本草備要》：「降氣行痰，潤燥，通大腸氣秘，治咳逆。」

陳皮：

陳皮氣味芳香，經日久者爲上品。理氣健脾，燥濕化痰。

《藥性本草》：「清痰涎，治氣上咳嗽，開胃。」

薄荷：

性味辛、涼。

有清頭目，利咽喉之功效。

清肝明目茶

白菊花决明子杞子

決明子

淨含量380克

清 肝 明 目
降 血 壓 通 血 管

白 菊 花
清 肝 明 目 治 肝 陽 上 亢

杞 子
滋 補 肝 腎 ， 益 精 明 目

Pitu

《本草備要》:「清利頭目,頭風頭痛,失音咳嗽諸病。」

蜂蜜:
性味:甘、平。
潤肺補中,滑腸解毒。

《本草綱目》:「蜂蜜入藥之功有五:清熱也,補中也,解毒也,潤燥也,止痛也。」故此款茶加少許蜂蜜,對咽喉乾涸,乾咳,敏感咳,秋燥咳效果甚佳。

8. 舒肝解鬱茶

人的情緒受各種因素的影響，而肝主人的情志，「肝忌鬱結」，「肝喜條達」，即是人的情緒需要得到疏泄。今不少人受各種的壓力，不開心，有的出現情緒不安，頭痛，心悸，失眠等，甚至抑鬱，此乃肝氣鬱結情志失調所致，宜疏肝解鬱，現介紹一疏肝解鬱茶，組成如下：

合歡花、香附、白芍

註釋：

合歡花

為落葉喬木合歡的花，帶香味，性味甘、平。入心、脾、肺經。應用：

1、安神解鬱，用于虛煩不安、忿怒憂鬱，健忘失眠等症。單用即有效，在復方中常與白芍、龍齒等同用，療效更佳。

2、《本經》：「安五臟，和心志，令人喜樂無憂。」

《本草求真》：「入心緩氣，令五臟安

合歡花
有舒肝解鬱，
令情緒安定的功效。

和，神氣自暢。」

白芍：

為草本植物芍藥的根，內面白色，性味苦、酸、微寒。入肝經。應用：

1、柔肝止痛，適用肝氣不和所致胸肋疼痛、痛經、手足拘攣疼痛等；

2、養血斂陰，本品與當歸、熟地、川芎配伍，為婦科所常用；

3、平肝陽，用于肝陽亢盛的頭痛、眩暈。

《本草正義》：「肝氣之態橫，則用白芍也。」

香附：

為莎草的根莖，性味辛、甘、微苦。入肝、三焦經。應用：

1、理氣解鬱，疏理肝氣鬱滯，用于精神不快，情志抑鬱產生的消化不良，腹脹痛不適等症；

2、調經止痛。

《本草綱目》：「解六鬱」，《本草正義》：「香附辛味，香氣頗濃，專治氣結之病。」

用合歡花、香附各3克，白芍10克沖泡或煲滾後飲。

此茶對情緒不安，心神不定，胸中煩悶、焦慮，肝氣鬱結者有效。

9. 延緩衰老茶

不少人因工作過于勞累，精神長時緊張不安，以致面容憔悴，白髮早生，疲倦無力，而早顯衰老，此是由于元氣受損，肝腎虛弱，腎精不足所致。這裡介紹一款延緩衰老茶，組成如下：

人參 6 克、杞子、肉蓯蓉各 10 克

註譯：

人參：

爲五加科草本植物人參的乾燥根。性味甘、微苦、微溫。入脾、肺經。

本品能鼓舞脾胃之元氣，對脾胃之虛弱，食欲不振，如四君子湯、補中益氣湯等，均以人參為主藥。有大補元氣，補脾益氣，生津，寧神益智的功效。如配生地、麥冬（生脉散）治傷津，口渴汗多，氣息虛弱之証。用量 3 至 10 克。肝陽亢盛，有高血壓者應慎用。

《本經》：「補五臟，安精神，定魂魄，

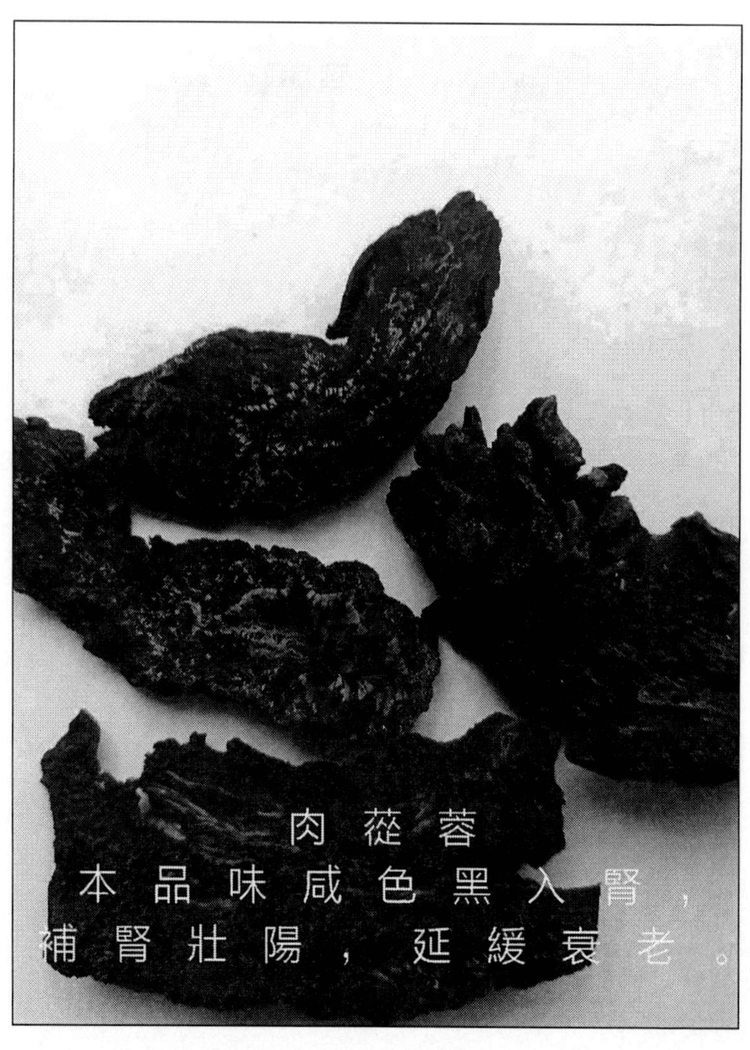
肉蓯蓉
本品味咸色黑入腎，
補腎壯陽，延緩衰老。

止驚悸，除邪氣，開心益智。」

肉蓯蓉：

爲列當科寄生草本植物的乾燥肉質莖。質軟肉豐，斷面黑色。

性味：甘、酸、咸、溫。入腎、大腸經。

功效：色黑入腎，補腎壯陽，益髓生津，用于腎虛，腰膝冷痛及女子不育之証。又潤腸通便。用量：6 至 15 克。

《本經》：「養五臟，壯陽，益精氣，多子。」

杞子：

是杞子成熟的果實，質軟滋潤，紅色。性味甘、平。

1、應用于滋補肝腎，治虛勞精虧，頭暈，腰脊酸痛；

2、益精明目，肝腎不足之身體乏力，視力減退等症。

《食療本草》：「强堅筋骨，耐老，去虛勞，補精氣。」《本草圖解》：「補腎益精」

以上人參 3 克、肉蓯蓉、杞子各 10 克，滾水沖或煲滾後焗飲。

此茶有補氣、補肝腎、壯陽、提振精神，延緩衰老的功效。

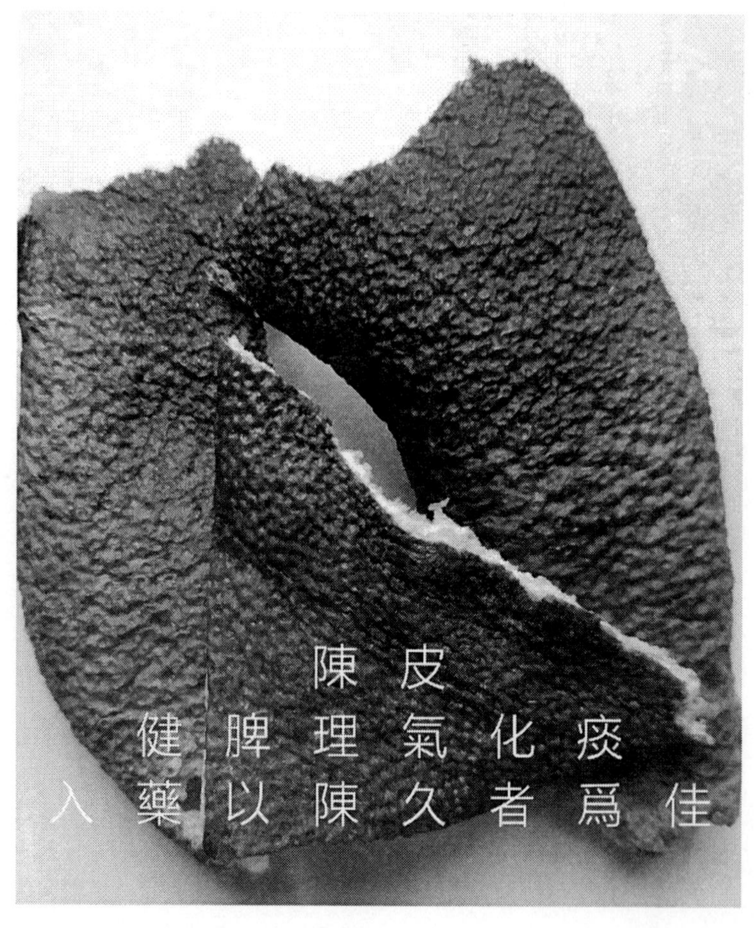

10. 重溫四物湯

四物湯是中醫傳統下來的藥方，具有補血調經，減緩女性月經不適的功效。有認為是女性養生的聖品，由于「男以氣為主，女以血為主」，女性血虛者多見平日手足較冷，面色不華，易疲倦，精神不足，心悸，月經不調等，四物湯適合血虛者。

四物湯組成如下：

當歸 12 克、熟地 15 克、白芍 10 克、川芎 6 克

註譯：

當歸：

為多年植物當歸的根，全根可分為頭、身、尾三部分。

性味甘、辛、苦、溫。入肝、心、脾經。

有補血和血，調經止痛，潤腸通便的功效。

1、補血調經要藥，治月經不調，痛經，血

虛經閉等症。

2、活血止痛，用于創傷、產後及血滯疼痛證候。

3、治血虛症候，如當歸生姜羊肉湯。

4、血虛腸燥便秘者。

《本草經百種録》：「當歸辛香而潤，香則入脾，潤則補血，故能透入中焦營氣之分，而為補營之聖藥。又，當歸為血家必用之藥。」

《藥品化義》：「頭補血上行，身養血中守，梢破血下行，全活血運行週身。」

熟地：

為乾地黃加酒反復蒸曬之品，色黑而滋潤，性味甘、微溫。入心、肝、腎經。

1、補血，用于血虛所致月經不調及其他血虛症；

2、滋陰，腎陰不足，骨蒸潮熱，盜汗、遺精及消渴等症，如六味地黃丸、大補陰丸等。用量：10 至 30 克。

熟地色黑入腎，是滋腎要藥。

《本草綱目》：「填骨髓，長肌肉，生精血，通血脈，利耳目，黑鬚髮。」

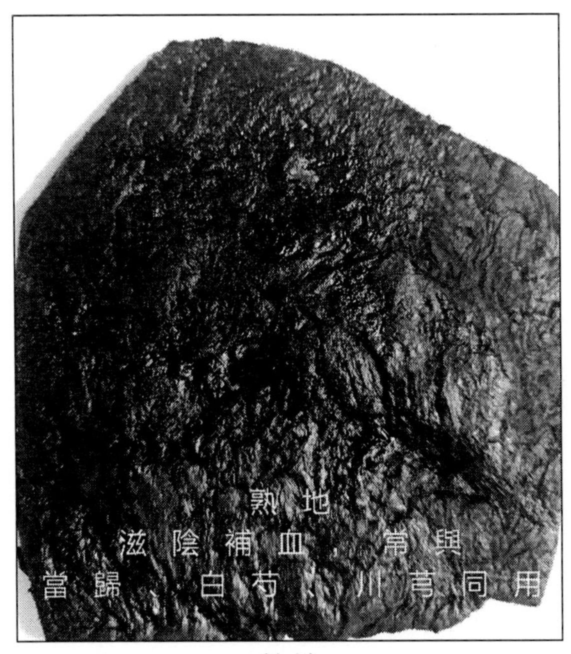

熟地

白芍：為毛茛科植物芍藥品種的根，內面白色，性味苦、酸、微寒。入肝經。

1、柔肝止痛，肝氣不和所致胸腹疼痛，痛經等；

2、養血斂陰，如四物湯，為婦科常用；

3、平肝陽，用于肝陽上亢之眩暈，頭痛。

用量：6 至 15 克。

《本草備要》：「補血柔肝、益脾、斂肝陰……」

川芎：

為多年草本植物川芎的根莖，主產于四川。性味辛、溫。

入肝、膽、心包經。

1、活血行氣，辛散溫通，活血行氣；

2、祛風止痛，用于頭痛身痛及風濕痛等症。

用量：3 至 10 克。

《藥品化義》：「其味辛溫，能横行利竅，使血流氣行，為血中之氣藥。」

在過去所見的病例中體會到：風寒濕痹諸痛，如肩頸痛、腰痛、肌肉痛、下肢關節痛等，多與血少血虛密切關係，皆因血少血虛生風，而出現各種痹痛，故當採用四物湯為基礎，養血又活血，尤其是對畏寒，怕冷，面色唇色較蒼白，手足冷的虛寒病者，適當加川斷、防風、肉蓯蓉、鹿角霜等藥，起壯腰補腎，溫通血脈，疏通經絡，祛風散寒止痛作用，共奏標本兼治之效果。

四物湯歌訣：

四物歸地芍川芎，

血虛諸方以此宗；

若與四君諸品合，

相療氣血名八珍。

四物湯加四君子湯為八珍湯，再加北芪15克、玉桂5分，名「十全大補湯」。

11. 玉屏風散的妙用

玉屏風散出於《醫方類聚》，此方主要有益氣固表之功效，主治肺衛氣虛自汗，症見多汗畏風，口唇面色較蒼白，易感風邪，流鼻水，舌淡苔白，脉浮虛者。此方組成如下：

黃芪、白術、防風、大棗。

註譯：

玉屏風散，顧名思義有預防、抵禦之意思。

「邪之所湊，其氣必虛。」此方可增加自身的抵抗力，可預防感冒，適用於經常容易感冒者。

黃芪：

草本植物黃芪的根，性甘、微溫，入脾、肺經。

1、補氣升陽，本品甘溫益氣，有強大補氣作用，又因有升陽，可用於中氣下陷之證。

2、固表止汗，用於體弱表氣不固的自汗症，配牡蠣、浮小麥，治諸虛自汗。

3、利水退腫，補氣運陽以利水，治虛証風濕、水腫。

4、用於消渴症，配生地、淮山、山萸肉、猪横利配黃芪。

《本草正義》：黃芪具春令升發之性，味甘氣溫色黃，補益中土，溫養脾胃，凢中氣不振，清氣下陷者最宜。

用量：6 至 15 克

白術：

草本植物白術的根莖。味苦、甘、溫，入脾、胃欲經。

1、補脾益氣，健脾胃之運化，本品甘香而溫有增加食欲的功效，是治脾胃虛寒之要藥；

2、燥濕利水，對妊娠期足腫尤有卓效；

3、固表止汗，老幼虛汗等症。

用量：6 至 15 克。

防風：

草本植物防風的根，性辛、甘、微溫，

大棗
補脾和胃，益氣生津

入膀胱、肝、脾經。

祛風發表，勝濕止痛，用於外感風寒或風濕所致頭痛、目弦，骨節疼痛等症。

用量：6 至 10 克。

大棗：

棗樹成熟的果實。性甘、溫，入脾經。

1、補脾和胃，常與補脾藥同用；

2、益氣生津。

《藥品化義》：大棗之甘，與生姜之辛，二味配合，甘辛發散爲陽，故發表疏散劑中必用之。

在過往的臨症中有見小孩兒在睡眠中常有多汗不止，用此方加浮小麥 15 克、牡蠣 20 克，糯稻根 10 克，服二劑即明顯見效。

12. 重溫《藥性賦》（一）

夜間在燈下細讀《藥性賦》，朗朗上口，這是前人的寶貴相傳，是中醫藥之瑰寶，如能銘記，受益良多，現將溫故知新之心得，記錄為下：

大地生草本，性能各不同，前人相傳授，意在概括中。寒涼能清熱，瀉火、解毒功，溫熱能祛寒，溫中、幷助陽。味苦能瀉火，味甘可補中，酸斂幷固澀，辛散咸軟潤，味淡能滲濕，氣平多緩和。

解表藥之要點：

「外感表證，解表為先。辛溫散風寒，適于風寒表證；辛涼疏解風熱，外感風熱才宜。麻黃定喘，發表而散風寒；防風祛風去濕，關節疼痛能療；荊芥解表祛風，羌活祛風止痛，蘇葉行氣而和中。白芷祛頭風，消腫而止痛；槀本散寒濕，頭頂痛更宜。疏風通鼻，蒼耳、辛荑幷用；發汗散寒，生姜、葱白同施。細辛溫肺祛痰，香薷解暑發汗。

以上諸藥，均是辛溫，下列各品，多為

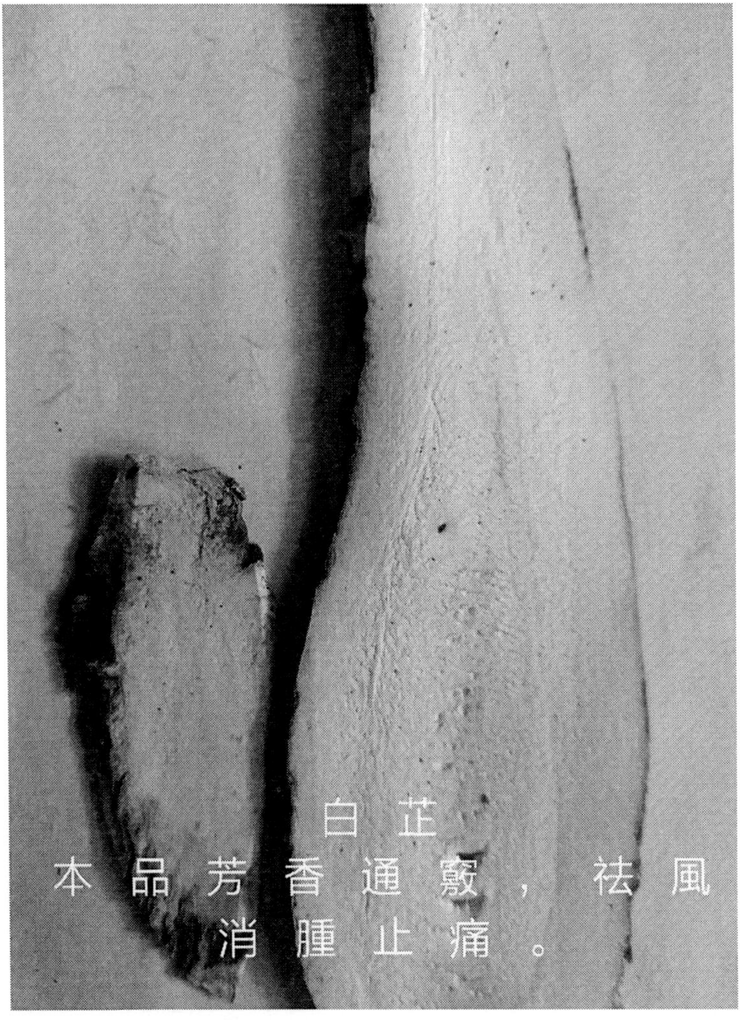

白芷

本品芳香通竅，祛風消腫止痛。

辛涼：散上焦風熱，宜用薄荷；清肺絡熱痰，宜用桑葉。牛子疏風熱，利咽喉；淡豆豉，解表熱，除煩悶。疏風清熱，平肝明目用菊花；透疹定驚，退翳解痙以蟬退。青蒿解暑，幷退虛熱；葛根解肌，生津止渴。舒肝解鬱，升舉陽氣用柴胡；解毒透疹，脾虛氣陷用升麻。」

如辛涼藥中的桑葉、菊花、薄荷是解表劑「桑菊飲」的主藥，宜外感風熱，症見咽喉不適疼痛，咳嗽，有微熱，苔薄白或淡黃，脉畧浮緊，為坊間較熟悉的方劑。

《藥性賦》概括總結各類中藥的藥性精華是中醫藥的寶貴遺產，對傳承及發揚中醫藥起了十分重大的作用。

13. 重溫《藥性賦》（二）

《藥性賦》是中醫經典之韻文，對各類藥性精辟概括，便于誦讀記憶，讀書在於心領神會，而每重溫都有受益，現將部份心得記錄如下：

補益藥分爲補氣、補血、補陽、補陰四類。氣虛與陽虛是氣化不足，血虛與陰虛是津液損耗。如病邪未清而正氣已虛的，可于祛邪藥中適當加補益藥以扶正氣，這是扶正祛邪的治法。

補益藥要點：

「虛症宜補，首辨陰陽。陽虛補之以甘溫，陰虛補之以甘潤。先天不足宜補腎，後天不足宜補脾。補血重在心肝，補氣重在脾胃。人參扶元益氣，幷補陰陽；黃芪固表建中，內托癰腫。淮山養脾陰止瀉，白術健脾陽而安胎。甘草清火而炙補中，地黃生涼血而熟滋腎。調營補中以大棗，和陰養血以首烏。血虛當歸之溫養，陰虛阿膠來滋潤。養血安胎，以吐絲、桑寄；和肝益腎，用桑椹、女貞。龍眼肉益心脾，定怔忡；肉蓯蓉，壯腎陽，益腎精。續斷補肝益腎，安胎又治外傷。杜仲補肝養腎，別甲軟堅潛陽。杞子益精明目，沙參清熱潤燥。天冬清金降火，麥冬清心除煩。百合清肺寧嗽，玉竹養肺和陰，生津止渴。養陰清熱用石斛，育腎陰除勞熱，宜龜板。」

如上述的人參（黨參）、白術、炙草為四君子湯之主藥，是常用的補益劑，具有補

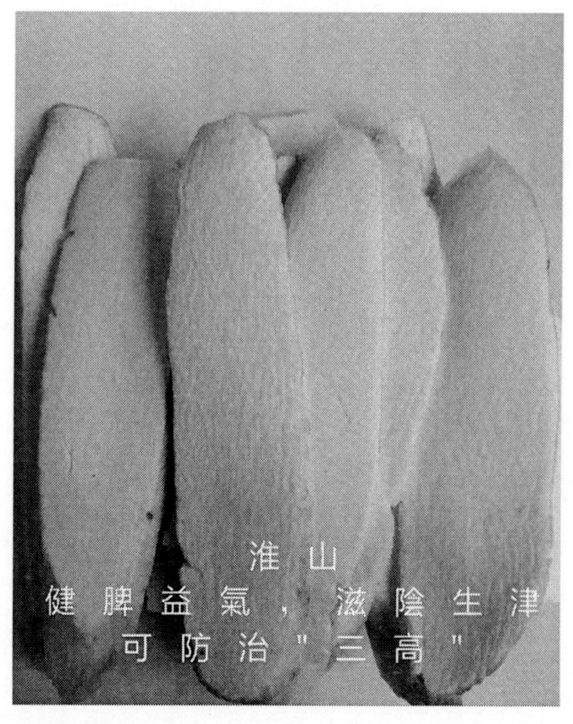

淮山
健脾益氣，滋陰生津
可防治"三高"

氣健脾的功效，主治脾胃氣虛，神疲食少，身體虛弱，精神不足，舌淡苔白，脉虛數者，而四君子湯加四物湯（當歸、熟地、白芍、川芎）爲八珍湯。

中醫藥是個寶庫，《藥性賦》是其重要的一部份，要讓後人加以發掘及提高，使傳統中醫藥取得更大發展。

黨參
補脾潤肺，提振中氣

14. 冬瓜荷葉薏仁消暑湯

夏日炎炎，天時暑熱，正宜飲冬瓜荷葉薏仁消暑湯，此湯水組成如下：

全冬瓜（連瓜皮及冬瓜瓤仁）二斤、荷葉一塊、薏仁二両、豬脹一條、陳皮二片、食鹽適量煲一個半小時，合小家庭 3 至 4 人份量。

註譯：

冬瓜：性寒味甘，清熱生津，僻暑除煩，尤宜于夏天食用。冬瓜全身都可入藥：

一、冬瓜皮，利水消腫，小便不利症，又清熱解暑；

二、冬瓜仁，性味甘寒，入肺、胃、大腸經。

1、清熱滲濕，仁性寒滑，能清下焦濕熱，多用于濁帶。及《本草綱目》附方治女子白帶。

2、滑痰排膿，本品清肺之蘊熱，下導腸之積垢。多用于痰熱咳嗽，常與止咳祛痰藥合用。用量：6 至 10 克。

荷葉：荷葉是蓮科挺水植物，常生于水澤、池塘，有清熱解暑，消脂降壓，減肥瘦身的功效。

薏仁：爲禾本科多年生植物薏苡成熟種仁。

性味甘、淡、微寒。入脾、胃、肺經。

1、利水滲濕，薏仁味甘益脾；

2、除痺，本品既除濕又清熱，且能通利關節，緩和拘攣，《食療方》有以本品同粳米煑粥食，以消腫痛；

3、清熱排膿，本品上清肺金之熱，下利腸胃之濕，故常用于肺癰、腸癰；

4、健脾止瀉，補益脾胃。

《本草綱目》：「健脾益胃，補肺清熱。」

《本草求真》：「薏仁上清肺熱，下理脾濕，以其色白入肺，性寒瀉熱，味甘入脾，味淡滲濕也。」

陳皮：爲芸香科橘樹果實的果皮，入藥以陳久者爲佳，故又名陳皮。性味甘、苦、溫。入脾、肺經。

有理氣健脾、化痰開胃之功效。

此湯水清熱、利水滲濕，不但消暑且對「三高」者也有效。

故此湯水最宜夏季消暑，也是養生保健之佳品。

15. 頸部瘰癧有良方

古醫書中有記載：「在頸部皮肉間可捫大小不等的核塊，其小者爲瘰，大者爲癧，故稱爲瘰癧。」似淋巴結腫大，有如串珠狀，質有軟也有堅硬，有觸痛感。或因情志失調，痰瘀互結爲腫塊，當分寒熱虛實，症見多爲痰火所致，故也有稱為，「痰火核」，宜用清熱解毒、軟堅散結之劑。

方藥組成如下：

玄參 10 克、連翹 10 克、風栗殼 15 克、夏枯草 10 克、牛子 10 克、柴胡 6 克、牡蠣 30 克、浙貝 10 克

註譯：

玄參：性味甘、苦、寒。入肺、胃、腎經。

1、養陰生津，多與清熱解毒藥配伍；

2、瀉火解毒，《醫學心悟》治瘰癧，配貝母、牡蠣用。

《別錄》：「止煩渴，散頸下核。」

《本草綱目》：「滋陰降火，消瘰癧也

風栗殼除痰火核

是散火。」

連翹：性味苦、寒。入心、膽經。

用于清熱解毒，消癰散結。

夏枯草：清肝明目，清熱散結，治瘰癧。

牛子：疏散風熱，利咽散結。

柴胡：和解退熱，疏肝解鬱，這裡用于疏解痰氣鬱結。

風栗殼：可治「痰火核」。

牡蠣：性味咸、平，微寒。入肝、膽、腎經。

1、潛陽固澀，用于陽亢煩燥，頭暈頭痛，盜汗、自汗。

2、軟堅散結。

《本草綱目》：「化痰軟堅……」

《本草備要》：「咸以軟堅化痰，消瘰癧結核。」

淅貝：爲本草植物貝母的鱗莖。主產浙江象山，性味苦、寒。

1、止咳化痰，用于痰熱咳嗽；

2、清熱散結，淅貝母長于清火散結，適用于瘰癧癰腫等症。

《藥性本草》：「與連翹同用，主項下

瘤疾。」

此方爲本人過去治頸部瘰癧的經驗方，多見于青少年患者，症見頸側皮下有凸核狀物，單一或多發如串珠狀，觸之不痛或微痛，可移動，有謂頸淋巴腺腫大。此或與情志不遂，肝氣鬱結有關，故方中使用柴胡有疏肝解鬱作用，配合清熱解毒、去痰火核、軟堅散結之藥，其療效甚捷，通常服用二劑後即見明顯效果。

16. 獨活桑寄生湯之運用

獨活桑寄生湯是一千多年前唐朝名醫孫思邈所創，記于《備急千金方 . 卷八•偏風第四》，由 15 味中藥組成，用以治療風寒濕痺的常用方劑。症見腰膝作痛，關節筋肌疼痛，冷痺無力，屈伸不利。本方組成如下：

獨活 6 克、秦艽 10 克、桑寄生 20 克、防風 6 克、細辛 3 克、川芎 6 克、當歸 10 克、熟地 15 克、白芍、雲苓 12 克、肉桂 5 分、杜仲 15 克、牛膝 10 克、黨參 10 克、甘草 3 克。

註譯：

獨活：

獨活辛散，通達全身，有祛風勝濕止痛的功效，是本方中之主藥。

秦艽：

祛風濕，散風濕之邪，又舒筋以止痛。

桑寄生：

補肝腎，除風濕，強筋骨，利關節。

防風：祛風發表，勝濕止痛。

細辛：

有發表散寒，溫肺祛痰，祛風止痛的功效。

用量：5分至3克。（注意用量，超量易有意外）

肉桂：爲桂樹的乾皮。

性味辛、甘、大熱。

1、溫中補陽，本品氣厚純陽，大補陽氣；
2、散寒止痛，又通血脈，適用虛寒性胃痛，腹痛。

用量：0.5-3克

另有鼓舞氣血生長的功效，如十全大補湯中用肉桂適量，近年也有人在飲咖啡時加少許肉桂，芳香又醒神。

杜仲：

補肝腎，健骨强筋，用于腎虛腰痛，腰膝乏力。

《本草綱目》：「肝主筋，腎主骨，腎

充則骨强，肝充則筋健，屈伸利用，皆屬于筋。」

牛膝：

1、本品善引血下行，引藥下行，用于通經，下胎；

2、活血而通利關節。

與補肝腎藥同用，可强腰膝。用量：3至10克。

方中獨活祛筋骨間之風寒濕邪，細辛散風寒而止痛，防風祛風邪以勝濕，秦艽舒筋，寄生、杜仲、牛膝祛風兼補肝腎。本方以四物湯為基礎，風寒濕痺諸痛，皆因血少而生風，而治風先治血，症所見多屬血虛，所以本方運用尤適宜畏冷、舌淡苔薄白虛寒者，當歸、川芎、熟地、白芍養血又活血，黨参、茯苓補氣健脾，加上肉桂溫通血脉，鼓舞氣血，可收到良好療效。

歌訣：

獨活寄生艽防辛，
芎歸地芍桂苓均，
杜仲牛膝人參草，
冷風頑痺屈能伸。

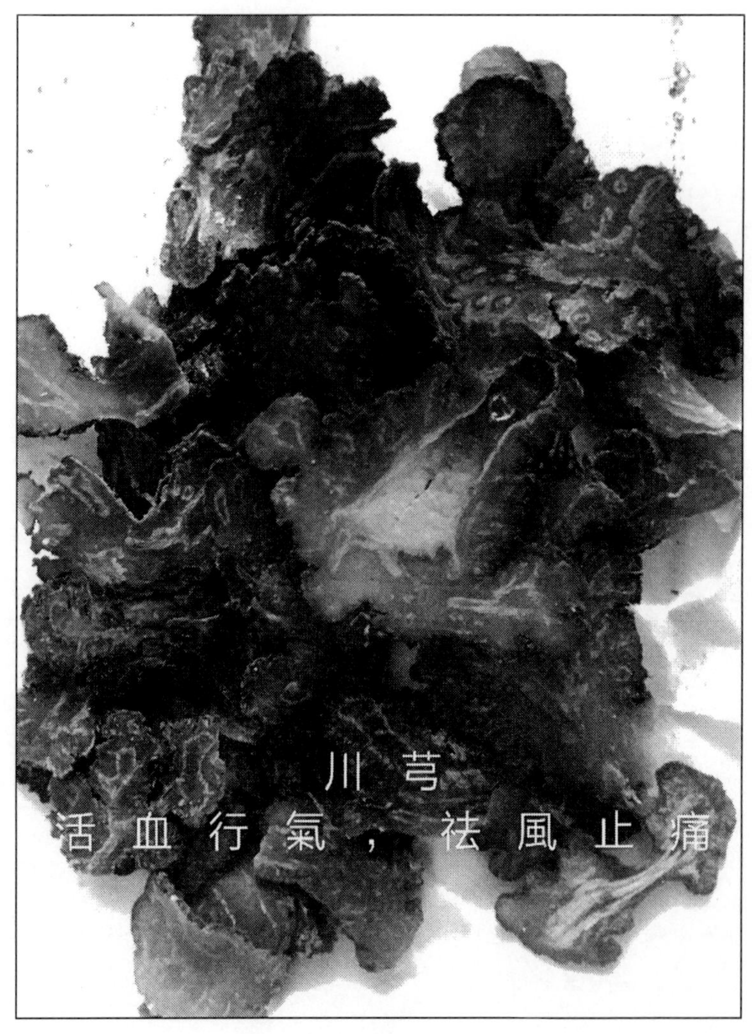
川芎
活血行氣，祛風止痛

在過往的臨症運用中有所體會，本方溫通血脈，祛風散寒止痛，適合濕痺諸痛虛寒者，方中有牛膝引藥下行，引血下注，通利腰膝，故本方對腰痛，下肢的關節痛、筋骨肌肉痛，以至坐骨神經痛等均有明顯療效。

對某些慢性長期的這類病患者，也可加用蛇類、地龍等善於走竄，追風透骨，通絡止痛之藥，有時可收奇效。

17. 逍遙散的應用

逍遙的意思是：自由自在，無憂無慮，《莊子》：「逍遙於天地之間，而心意自得。」故《逍遙散》可認為是中醫治療情緒病、情志失調的一個方劑。

逍遙散有疏肝解鬱、養血健脾的功用。症見頭痛目弦，精神疲乏，胃納欠佳，口燥咽乾，夜睡不寧，月經不適，胸悶不舒、情緒不安等。舌淡苔薄白，脉細而略數。此主要是由于肝鬱血虛，脾胃虛弱所致，宜調和肝脾，舒肝解鬱。

方藥組成如下：

柴胡、當歸、白芍各 10 克、白術、茯苓各 15 克、甘草、乾姜各 6 克、薄荷 5 克。

註譯：

柴胡：性味苦、平。入肝、膽、心包經。

1、柴胡清輕上升，有疏解作用，與葛根同用，如柴胡解肌湯；

2、用于肝經抑鬱不舒，如頭暈、目弦，雙脅作痛。

3、本品有升陽之功，與升麻、黨參、北芪等幷用。

《本草正義》：「肝絡不舒之証，奏效甚捷。」

當歸：補血和血，調經止痛；

白芍：性味苦、酸、微寒。入肝經。

1、柔肝止痛，適用肝氣不和所致的胸腹疼痛，經痛；

2、養血斂陰；

3、平肝陽，肝陽亢盛的頭痛、眩暈。

《本草正義》：「肝氣之恣橫，則白芍也。」

白術：

補脾益氣，健脾胃之運化，爲補脾之要藥，有增加食慾作用。

甘草：

經蜜炙爲炙甘草，性味甘平。

有補脾益氣，清熱解毒，潤肺止咳，調和諸藥之功效。本品色黃味甘，炙之則氣溫，能補脾胃，如四君子湯治脾虛、氣虛，均用炙甘草。

《用藥法象》：「甘草氣薄味厚，炙之

則氣溫，補三焦元氣。」

肝主情志，「肝喜條達」，「肝忌鬱結」，方中柴胡疏肝解鬱，當歸、白芍養血柔肝，與柴胡合用，疏養并用，使肝氣條達，肝血得養，氣血調和，白術茯苓益氣健脾。

在過去的病例中，有見病者心中不舒，或憂傷、怨恨……常獨自長嘆一聲，藉此舒解心胸中鬱悶之氣（此乃肝氣鬱結，氣機不暢所致，宜舒肝解鬱。）

另有一病例：

多年前一位成年女性

病史：

常感咽喉乾涸，如有物堵住，吞之不下，吐或咳之不出，四處求醫三個多月，伴有胸悶不適，神疲食少，睡不安寧。

檢查：

面色唇色稍顯蒼白，咽未見充血，舌淡，苔薄白，脉畧細數。

辨証：

綜合病史及檢查所見，症見肝鬱血虛，肝氣鬱結及脾失運化引致痰氣互結停滯於

咽喉，故病者咽喉如有物堵塞，似梅核吞不下咳不出，加上情志失調，脾胃虛弱，產生時有胸悶，夜眠不安，胃納欠佳等症狀，症屬梅核氣，（註：梅核氣爲中醫病証名，古醫書:《醫碥》:「咽喉中如有物，不能吞吐，名梅核氣。」）。

白芍
養血斂陰，平肝止痛

施治：

投以本方加香附 6 克、陳皮 3 克，可使肝氣得舒，肝血得養，益氣健脾，協奏肝脾調和、舒肝解鬱之功效。

覆診：

服三劑（三天）後來覆診，見病者喜形於色，告之病症已明顯好轉。

歌訣：

逍遙散術柴芩歸，
芍藥甘草姜要煨，
薄荷少許同煎服，
養血調經解肝鬱。

逍遙散的應用範圍是較為廣泛的，在此主要是述及有關情緒病方面。

在當今社會上有不少人的情緒未能得到紓解，內心鬱結，情志不遂，以致肝氣鬱結，脾胃虛弱，而出現怔忡、心悸失眠、神疲食少、焦慮不安、甚至憂鬱等症狀，可視乎實際需要投以本方加牡蠣 30 克、合歡花 6 克，會收到良好的舒緩效果。

18. 肝陽上亢的方藥

高血壓是現代人的常見病，中醫將高血壓分為「肝陽上亢」、「痰濁中阻」、「血脈瘀阻」……等類型。

何為肝陽上亢？

肝陽上亢是指肝陰不足，致使肝氣升發過甚，肝氣浮動於上引起的症候，多由房室過度，七情內傷，飲食起居失調等綜合因素所致。

症見頭暈、頭重、面紅易怒，手麻，甚或脚步浮浮，舌質紅，苔薄或微黃，脉弦緊而畧數。

可選杞菊地黃丸加減：

杞子 10 克、菊花 10 克、熟地 20 克、淮山 15 克、山萸肉 10 克、茯苓 15 克、澤瀉 10 克、丹皮 10 克。

註譯：

杞子：

滋補肝腎，益精明目。

《本草圖解》：「補肝腎益精，而消渴、目昏、腰痛膝痛，無不愈矣。」

菊花：

每年秋季菊花香，黃菊味稍苦，疏散風熱較好；白菊味甘，清肝明目、治肝陽上亢為佳；而野菊則苦寒，是清熱解毒之良藥。

白菊花

清肝明目治肝陽上亢

疏風除熱，養肝明目。

《本草求真》：「祛風而明目，眼目失養與頭眩暈等症，木平則風息，火降則熱除。」

熟地：滋陰補血。

《本草正》：「陰虛而神散者，非熟地之守，不足以聚之；陰虛而火升者，非熟地之重，不足以降之；陰虛而躁動者，非熟地之靜，不足以鎮之。……」

淮山：

補脾胃，益肝腎。

山萸肉：

補益肝腎，澀精止汗。

《衷中參西錄》：「山萸肉味酸性溫，收斂元氣，固澀滑脫，又通利九竅，流通血脈，治肝虛自汗，肝虛內風萌動。」

丹皮：

清熱涼血，活血行瘀。

《本經疏証》：「通血脉中壅滯，牡丹氣寒，故所通者血脉中結熱。」

澤瀉：利水滲濕泄熱。

《本草綱目》：「澤瀉氣平，味甘而淡，淡能滲泄，脾胃有濕熱，則頭重而目昏耳鳴，澤瀉滲去其濕，則熱亦隨去……」

茯苓：利水滲濕，健脾補中，寧心安神。

在過去診症中曾遇有肝陽上亢者，用上方加：

石决明 30 克、牡蠣 30 克、白芍 10 克、鈎藤 10 克，則其頭暈、頭重、眼花等症狀明顯減輕，血壓測試也漸趨穩定。

肝陽上亢與人的情緒有密切的關係，中醫將人的情緒列為七情：

喜、怒、憂、思、悲、恐、驚。肝主情志，肝喜條達，怒則傷肝，所以平時要心境平靜，特別是上年紀的長者遇事不可激動，不要發脾氣，不必動怒，皆因之容易引發肝陽上亢血壓驟升有中風之危險！

故平日保持內心安靜至為重要，請記：「喜樂的心乃是良藥」之聖言 。

19. 不同年齡時期的養生

人體在不同的年齡時期有不同的生理過程，如幼兒時期中醫認為幼兒是「純陽之體」，是指小兒生長發育旺盛，其陽氣當發，生機蓬勃；至青少年期及之後，《素問・上古天真論》：「女子二七而天癸至，月事以時下，故有子，七七天癸絶。」指女子 14 歲步入青春期，49 歲進入絶經期。

中醫沒有「更年期……」稱謂，而是稱作「絶經期前後症候」，見潮熱、出汗、心內煩悶、焦慮等症狀，是婦女值此時期由于「腎虛肝鬱」所致，宜滋腎調肝、疏肝解鬱及安定情緒。

至逐步進入老年，漸見髮白、牙齒鬆脫，步態不穩，「腎主骨，其華在髮」，「肝藏血，髮爲血之余」，指毛髮的營養來源於血，但其生機源在於腎。當人體腎精充足，氣血充盈時頭髮就會濃密、烏黑、光亮；反之則稀少、變白、脫落。 年老者精、氣、神已漸衰，多見肝腎虧損，「腎藏精」，腎

滋補肝腎

健脾益氣

杞子

滋補肝腎，益精明目

鮮淮山

健脾益氣生津

精是生命之根本，腎精在生命中具極重要的作用，所以人要保持旺盛的生命力則要養精。中醫古書：「善養生者，必寶其精，精盈則氣盛，氣盛則神全，神全則身健。」故特別是長者要注重節慾葆精，以固腎強身。

長者最好每天有一段時間靜下心來閱讀及書寫，手與腦並用，使精神集中，這是延緩衰老，防止老人癡呆症的最好方法。也可結合自己的志趣愛好參加一些活動，或做運動，或與親朋飲茶品茗趣談世事，或結伴悠遊於青山綠水之中，有益身心。

平日宜「飲食有節，起居有常」，每天要飲充足的水份，以「通調水道，下輸膀胱」，有助排泄體內毒素，充足的水份也減少皮膚皺紋，使肌膚潤澤。

要時常保持心情平靜舒暢，肝主情志，肝喜條達，上年紀者遇事不要激動，「怒則傷肝」發脾氣易引起「肝陽上亢」，血壓驟升，而容易發生意外。

《黃帝內經》：「恬淡虛無，真氣從之。」此則延年益壽，頤養天年。

20. 穴位按摩可安定情緒

《黃帝內經•素問》：「精神內守，病安從來。」精神內守意思是在今天復雜的社會中，人若能內守自己的本份，精神安定從而心安而不懼，心安而神閑，正是人安而能靜，靜而能定，內心沒有雜念安靜，而得到舒暢和放鬆，氣血就會順暢運行，而使身心靈得到健康。

人的情緒受各種因素影響，遭到種種的壓力，如學業、工作、家庭、婚姻戀愛、疾病……特別是在今天紛爭的社會中，不少人內心交織矛盾，苦痛，鬱悶，怨忿……等情緒未能得到宣泄，中醫認為肝忌鬱結，肝喜條達主疏泄，人的情緒如得不到紓緩，就會產生焦慮、煩燥、情緒不安、心悸、失眠、憂鬱等症狀。在此，特介紹三個穴位按摩可安定情緒：

1、印堂穴，在眉心的中間，是人體三大經絡的匯集地，起內眼角的足太陽膀胱經及鼻旁的足陽明胃經，還有任脉也經過印堂。

印堂具有安神定驚、清醒頭腦、疏風止痛等功效，以雙手之中指反複按摩印堂穴，幷輕移向太陽穴，有安定情緒及穩定血壓作用，對長時間看手機看電腦引致的雙眼疲勞也十分有效。

2、太陽穴，在前額的凹陷處，屬經外奇

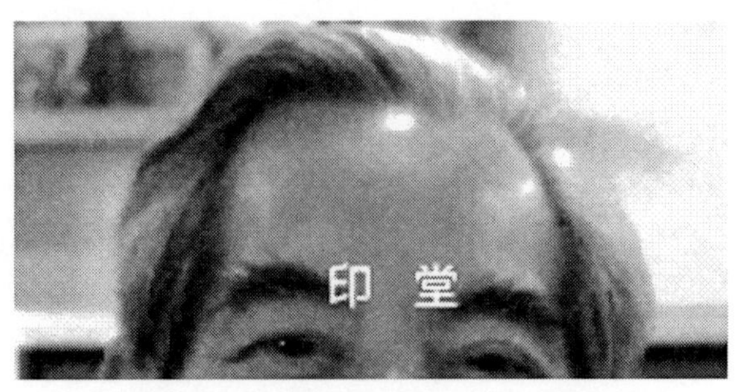

穴，有鎮驚安神，祛風止痛作用。主治頭暈頭痛，精神疲勞，以手中指反複按摩二十次。

3、神門穴，手腕關節內下方凹陷處，屬手少陰心經，與心神相應故名。有滋陰降火，養心安神之功效，可消除精神緊張，心慌慌，焦慮，失眠，情緒不安等症狀。

以拇指按摩左右神門穴各二十次。

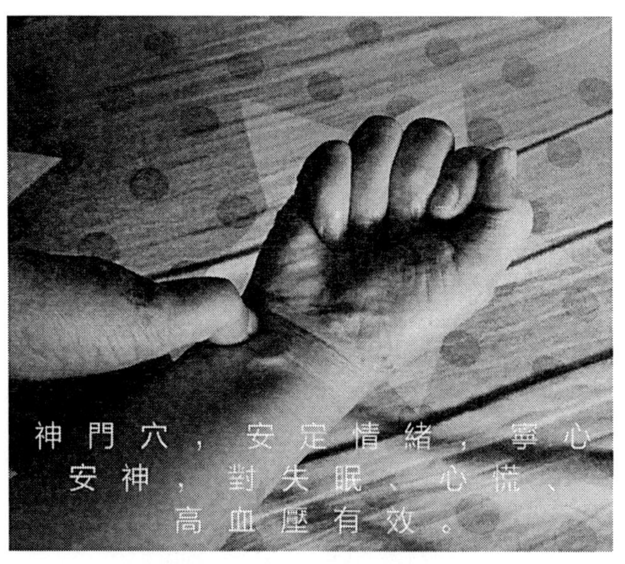

按摩神門穴，安定情緒。

對心悸、失眠和高血壓有效。

21. 飲食有節、起居有常

《黃帝內經》：「飲食有節，起居有常。」這是中國傳統文化對養生保健的重要指引。

飲食有節：

就是飲食要有節制，要均衡飲食，今日各種食品豐富，用餐時不要貪食多食，以致肥胖，肥胖容易引起「三高」等各種病症，所以餐時七、八分飽爲宜，晚上九時後不要再進食物。

平時可依據自己的體質來擇選各類適合的食物：

如「寒底」者：

怕寒冷，面色口唇較蒼白，手足較冷，血壓偏低，身體較虛弱，身體乏力，脉細虛，舌淡苔白滑。可選如下食品：

薑、蒜、牛肉、羊肉、蝦、朱古力、紅茶、咖啡等具暖和散寒及升提類食物，另，蛋類、牛奶、鷄、蘋果等對身體都有補益；

如「熱底」者：

不怕冷，手暖，面色口唇較紅潤，血壓正常或偏高，口氣大，容易咽喉痛，眼屎多，大便乾結，尿黃，脈畧數，舌淡紅，苔微黃。熱則寒之，可選擇：芥菜、白菜、白籮蘿蔔、芹菜、冬瓜、苦瓜、青瓜、蕃薯、薯仔、西瓜、檸檬、橙等食品。

每個人的體質都會轉變，要根據實際的狀況來平衡及調節。

要有充足的水份，藉以「通調水道，下輸膀胱」，將體內的毒素通過尿液排出體外。不是感到口乾才飲水，最好一個鐘內飲一次，量不要多，以濕潤咽喉，以預防流感。如何測定體內是否有足夠水份呢？主要觀自己的小便，如尿較少，色深黃，說明水份不足。

充足的水份不但有助排泄體內的毒素，也使皮膚潤滑減少皺紋，有助美容。

有人在晚上睡前不飲水，怕起身小便，由於睡眠有夠長時間未能能補充水份，引致血液黏稠，有可能阻塞血管，引發中風，故睡前仍要補充少量水份，以減少血液的黏稠，所以飲水還可以預防中風。

起居有常：

古時人日出而作日落而息，早睡早起身體好。「人臥血歸肝」，所以早睡是保肝護肝的最好方法。充足的睡眠可延緩衰老，有些病經過睡眠後就會得到休整，會自然痊愈。充足的睡眠比食任何補品都要好。

要親近大自然，每日在陽光下活動 10 多分鐘。中醫典籍：「腎主骨，其華在髮」，

為病者做針灸治療

意思是腎氣足的人，頭髮烏黑濃密，骨骼強健，所見長者許多由於腎氣衰弱，骨質流失，以致雙足行走無力，所以要多做戶外活動，曬太陽就是製造天然的鈣質，可令骨格強健。每天要行走半小時，行路時最好保持一個良好的姿勢，要有意識的抬起頭，挺起胸，這樣就可保持腰背堅挺，減少頸腰疼痛，也可避免出現老態。

後記

這本《淺談中醫望診》小冊子，可視為《趣談養生》的續集。

望診是中醫四診中重要的第一步，通過望診觀察病者的神、色、形、態，尤其是注重眼神，體健者雙眼明亮，炯炯有神；體衰者雙眼茫然，黯淡無光，藉此判斷病者正氣之盛衰，有經驗的高明的中醫師衹要用眼一望，便可初步予評估病者的身體概況及精神狀態，故有「望而知之為神」之說。

本書中有幾篇有關中醫養生方面的文字，介紹了幾款保健茶飲，如《瘦身美容茶》、《清肝明目茶》、《舒肝解鬱茶》、《延緩衰老茶》等，用滾水沖泡焗飲，簡單而有效，頗有特色，或許會引致廣大讀者的興趣和垂注。

中醫中藥是中國傳統優秀文化的瑰寶，後人應大力加以發掘及提高。

書中所述，字裡行間顯現出本人對中國悠久的歷史文化及多年來對中醫藥專業精

神的嚮往和追求！內文對許多常用中藥有註譯，是引用中醫藥典籍的相關資料註明其性能、功效及出處，例如註譯……薏仁：

《本草綱目》：「健脾益胃、補肺清熱。」

《本草求真》：「薏仁上清肺熱，下理脾濕，其色白入肺……」

藉引經據典，以增加讀者對中藥的認識，書中所附圖片全是自拍，每一張圖片都有文字說明。因之，此小書尤適合對中醫藥及養生保健有興趣的廣大讀者閱覽。

在此，小書的出版謹向各位編輯的付出致謝！

同時，蒙香港中醫師公會理事長何家昌醫師指導，不勝感荷！

2019 年初冬

符國本記於香港

作　　者｜符國本
書　　名｜淺談中醫之望診
出　　版｜超媒體出版有限公司
地　　址｜荃灣海盛路 11 號 One MidTown 2913 室
出版計劃查詢｜（852）3596 4296
電　　郵｜info@easy-publish.org
網　　址｜http://www.easy-publish.org
香港總經銷｜香港聯合書刊物流有限公司
出版日期｜2020 年 1 月
圖書分類｜醫藥衛生
國際書號｜978-988-8670-28-4
定　　價｜HK$98

Printed and Published in Hong Kong